D0327684

L'auteur remercie le Conseil des arts et des lettres du Québec pour son soutien à la création.

L'Hexagone bénéficie du soutien de la Société de développement des entreprises culturelles du Québec (SODEC) pour son programme d'édition.

Gouvernement du Québec – Programme de crédit d'impôt pour l'édition de livres – Gestion SODEC.

Nous reconnaissons l'aide financière du gouvernement du Canada par l'entremise du Programme d'aide au développement de l'industrie de l'édition (PADIÉ) pour nos activités d'édition.

Nous remercions le Conseil des Arts du Canada de l'aide accordée à notre programme de publication.

Collection L'appel des mots
dirigée par Robbert Fortin

DU MÊME AUTEUR

L'amant gris, poésie, Triptyque, 1984.
Madeleine de janvier à septembre, poésie, Triptyque, 1985.
Écrire la lumière, poésie, Triptyque, 1986.
Comme deux femmes peintres, poésie, La Nouvelle Barre du jour, 1987.
Tableaux d'Aurélie, roman, VLB éditeur, 1989.
Notes et paysages, poésie, Éditions du remue-ménage, 1990.
Terra incognita, poésie, Éditions du remue-ménage, 1991.
Léonise Valois, femme de lettres, essai, l'Hexagone, coll. « Itinéraires », 1993.
Le lièvre de mars, poésie, l'Hexagone, coll. « Poésie », 1994.
Noyée quelques secondes, poésie, l'Hexagone, coll. « Poésie », 1997.
Interroger l'intensité, essai, Trois, 1999.
Suite pour une robe, poésie, l'Hexagone, coll. « Poésie », 1999.
Bleu de Delft. Archives de solitude, essai, Trait d'union, coll. « Spirale », 2001 ; Typo, 2006.
La lumière, l'arbre, le trait, poésie, l'Hexagone, coll. « Poésie », 2001.
La pratique du bleu, poésie, l'Hexagone, coll. « Poésie », 2002.
La poésie mémoire de l'art, anthologie, Art Le Sabord, 2003.
Soleil comme un oracle, poésie, l'Hexagone, coll. « L'appel des mots », 2003.
Oh merveille, poésie, Grenoble, pré # carré, 2004.
Le livre des branches. Dans l'atelier d'Alexandre Hollan, essai, Orléans, Éditions Le Pli, 2005.
Objets du monde. Archives du vivant, essai, VLB éditeur, coll. « Le soi et l'autre », 2005.
Une collection de lumières. Poèmes choisis 1984-2004, Typo, 2005.
Nuage de marbre, essai, Leméac, coll. « Ici l'ailleurs », 2006.

LOUISE WARREN

Une pierre sur une pierre

l'HEXAGONE

Éditions de l'Hexagone
Une division du groupe Ville-Marie Littérature
1010, rue de La Gauchetière Est
Montréal, Québec H2L 2N5
Tél.: (514) 523-1182
Téléc.: (514) 282-7530
Courriel: vml@sogides.com

Maquette de la couverture: Josée Amyotte
En couverture: © Krochka, sans titre, graphite sur papier, 21 cm x 11 cm, 2005

Catalogage avant publication de Bibliothèque et Archives Canada
Warren, Louise
Une pierre sur une pierre
(Collection L'appel des mots)
Poèmes.
ISBN-13: 978-2-89006-780-6
ISBN-10: 2-89006-780-7
I. Titre. II. Collection.
PS8595.A782P53 2006 C841'.54 C2006-940801-7
PS9595.A782P53 2006

DISTRIBUTEURS EXCLUSIFS:

• Pour le Québec, le Canada et les États-Unis:
LES MESSAGERIES ADP*
955, rue Amherst, Montréal, Québec H2L 3K4
Tél.: (514) 523-1182
Téléc.: (450) 674-6237
* Filiale de Sogides ltée

• Pour la Belgique et la France:
Librairie du Québec / DNM
30, rue Gay-Lussac, 75005 Paris
Tél.: 01 43 54 49 02
Téléc.: 01 43 54 39 15
Courriel: direction@librairieduquebec.fr
Site Internet: www.librairieduquebec.fr

• Pour la Suisse:
TRANSAT SA
C.P. 3625, 1211 Genève 3
Tél.: 022 342 77 40
Téléc.: 022 343 46 46
Courriel: transat-diff@slatkine.com

Pour en savoir davantage sur nos publications,
visitez notre site: www.edhexagone.com
Autres sites à visiter: www.edtypo.com • www.edvlb.com
www.edhomme.com • www.edjour.com • www.edutilis.com

Dépôt légal: 3e trimestre 2006
Bibliothèque et Archives nationales du Québec, 2006
Bibliothèque nationale du Canada

© 2006 Éditions de l'Hexagone et Louise Warren
Tous droits réservés pour tous pays
ISBN 10: 2-89006-780-7
ISBN 13: 978-2-89006-780-6

Vers quel monde ?

Qui sont ces fantômes qui arrivent de partout alors que nous venons d'un ailleurs sans nom ?

Ces fantômes rapportant le néant dans leurs orbites et leurs bouches ouvertes.

Ces fantômes qui traversent les rues éclairées.

Novembre inscrit dans le livre avec la pierre des stèles et des gargouilles, leurs blocs de poussière surgissant dans ma vie.

Visages des plantes, mains des grands-mères.

Absence infinie comme si rien n'était pressé d'être.

Mon âme dans une flaque d'eau, aussi petite qu'un œil dans le soleil.

Mon œil engagé dans cet effacement.

Un vent de pluie.
Tous mes bracelets.

Le rideau rouge, tiré, usé par la lumière.
Une femme et son manteau.

Le livre surprend l'abandon.

L'étreinte. Tel est le mot devant mes yeux fermés.

Lumière descendante, monde plat.

Que fait le temps de nous ?

Songe qu'en juin tu auras les pieds nus.

L'océan comme stupeur et comme force.

Toute la nuit dans mes bras. Un don de la nuit.

La plante dans son détachement crée l'espace.
Rien ici n'empêche le souffle.

Un visage disparaît sous l'eau.
Les plantes soulèvent la buée.

Mardi. Jeudi. Dimanche. Le long de la rivière.
Tant d'adieux et ces tourterelles grises dans le jardin.

Mains sur les yeux. Frappée au cœur.
Où s'en va-t-elle ?

Toute la route du monde dans l'eau du soir.

Je viens de trouver une fissure.

Je m'éveille contre le vide.

J'écris contre l'oubli.

Je cherche inquiète mes amis.

Il n'y a que des étoiles dans la piscine.

J'essaie de m'endormir contre ma valise.

Ma valise est noire.

Mon sommeil comme ma valise.

Il fait noir dans mon nom.

L'ombre des objets que l'on tient enfermés et qui nous acceptent.

La main qui les approche les retourne.

Pas de repas dans le cercle.

Une étendue logée dans le dos, imprononçable.

Encore un peu de matière qui me quitte, se dépose, se rend à toi, imprononçable.

Je demande à mon corps de se tenir debout.
De se tenir debout dans cet instant imprononçable.

Ma main sur ta joue veille.
Ma main sur ta joue va si loin.

Je serais si détendue si tu me caressais les cheveux.

Je serais moins pâle. J'aurais faim.

Oh mes cheveux soyez libres!
Laissez-moi seule à penser ces eaux profondes.

Ce lac isolé. Aucun objet ne peut l'imiter.

Toute une soirée à côté d'un manteau vide, plein de toi.

Je ne peux séparer la mandoline des pétales de rose.
La porcelaine de ta main et ta main d'un tiroir.

Ton regard frôlant les ondes sur la pierre.

Ton regard brouillé, infini.

Dans cette robe de cristal, lumineuse comme l'hiver dans sa force spectrale, je m'avance.

Encercle la forêt. Pose tes questions.

Personne ne m'avait jamais parlé de toi, pas même le mauve.

Quelque chose émerge, on ne sait quoi.
Le temps, la couleur pivotent.

Peut-être l'orage.
On ne sait quoi, dans un coin du monde.

La tête d'un arbre tombée dans l'eau.

La peau d'une femme vêtue de fourrure.

L'homme qui l'enlace l'a drapée de chaleur blanche.

Le cristal bleu, les animaux volants sont des marques d'amour.

Bienveillante clarté de l'ocre recevant un platane.

Doux ton magique du *fa* mineur.

Le ciel couché sur le dos de l'éléphant.

Du ciel, lentement, un vol d'ailes.

Un vol d'ailes frémit.

Portrait de givre.

Orbite de frimas, neige folle.

Jeune aveugle sans prénom.

Des morts et des morts. L'histoire.

Qui invente le jour de la mort?

Vois cet éléphant, il porte la mémoire du soleil.

Dos à dos deux frères retiennent l'arbre.

Ici le corps se balance, touche le sable.

Le désir prend forme dans une autre obscurité.

Je le sens comme un enfant vivant.

Petite fille, ton cœur se couvre d'or et d'orangé.

Je t'apporte une barque et des rames de verre.

Un monde sorti des glaçons.

Du velours bleu sur la neige.

Encore et encore.

Des flocons sur la langue.

Toutes ces lueurs pour tracer le chemin.

Les traits du jour et de la nuit.

Les plis de la jupe.

Femme dans la nuit, portant une lampe.

Tiges montantes, penchées, lianes d'eau.
Est-ce la mélancolie ?

Un reste de vie ?

Les plantes et leurs vérités secrètes.

Un fil gracieux monte encore, pousse l'air.

Dans l'élan du trait, je reconnais le vent.

Je m'allonge dans le vent. Je détache ta ceinture.

Apaisement du *si* bémol, dans la venue d'un jardin.

La musique me révèle.

Énoncé du temps. Trajectoire de l'archet.

Main tiède qui caresse.

L'archet comme une flèche m'instruit.

L'archet prend la mesure du soleil.

Les doigts s'écartent.
Le coude appartient à l'espace.

Arrive la grotte.

La bête criblée de trous, le son percute la lumière.

Reposons-nous un instant.

Ferme tes yeux dans le livre ancien.

Tant d'objets existent de la même couleur.

À quelle lenteur les regarder ?

Tout ce vert que le corps renverse en marchant, en dansant, en berçant l'infini.

Les siècles fabriquent des taches noires.
Les portraits, d'autres visages.

Le marbre est une brisure froide qui a cessé de battre.

Que verrai-je demain que je n'ai pas vu aujourd'hui?

Le duvet, les têtes?

À tout jamais leurs yeux ouverts dans l'encre.

Leurs bouches comme des oiseaux frémissant sous la pluie.

Un tissu de cristal voilant mes os.

Mon murmure glissant dans les galeries de la Reine.

Un étang pourpre et ton cœur palpite.

Rubis sur le front et les lèvres.
Aux points d'or, son visage.

Ces photographies, comme si tu avais tendu des rideaux légers dans la chambre claire.

La mémoire, tantôt de la paille, tantôt un dos pâle et nu.

Un cercle de cire tombe sur le papier.

Le cachet scelle le souvenir.

Si tu pouvais m'envoyer une lettre que je garderais dans mon sac.

Ma patience et tout se remet à bouger.

Je n'ai qu'à être pour te suivre, ressentir le mouvement.

Parfois, mon cœur est si tranquille.
Cela ressemble à chanter sous un saule.

Je voudrais alors le prendre, le déposer sur un rocher.

Qu'il scintille, plus calme encore.

Comment te remercier pour ces oiseaux en équilibre sur une tige de bambou ?

La fenêtre, le miroir, la porte. Tes pas.
Tout s'en va doucement dans l'herbe.

Je nous sens si humains.

Nous avons été des enfants aimés de nos grands-mères.

Nos jeux éclairés de leurs lampions.

Nos têtes blondes touchaient leurs cheveux blancs.

Leur peau était un mystère.

Leurs bijoux, un enchantement.

Dans leur maison, le soleil était certain.

Maison de vie.

Urne remplie de vent.

Une pierre sur une pierre sur une pierre.

Ainsi de suite à chaque portrait. À chaque porte.

Des objets lumineux couvrent leur nom.

Les vois-tu comme je les vois ?

Aline, presque djinn. Un nom de fée ?

Une petite bête douce dans ses yeux.

Des lueurs de maïs.

Des forces la divisent.

Parfois elle enveloppe les murs et la montagne.

Elle part.

Elle passe, souffle sur les bougies.

Dors mon ange, repose-toi mon amour.

Sa voix, un tel dénuement dans les livres.

L'herbe dort paisiblement dans l'eau verte des blouses.

Je me donne un corps dans un après-midi d'été.

La lumière des plantes suffit à me rendre visible.

Leurs couleurs glissent.

Feuilles flétries dans les allées mortes.

Cavaliers rouillés dans l'eau des fontaines.

Couleur de fonte, de cuivre.

Dos des gravures qui rassemblent les dernières paroles.

C'était avant la photographie. L'envers du monde.

Visage d'ivoire, longue tresse à la fenêtre.

Les oranges tombent une à une dans la gueule du lion.

Est-ce le premier jour ?

La presque nuit ?

Porte-moi à tes lèvres que mon sommeil soit doux.

Tourne la poignée de verre, pousse la porte.

Plus rien ne peut mourir ici.
Le vent est vivant, détaché du ciel.

Nuages de marbre. L'autre vie est-elle plus solide ?

La neige tombe.

C'est beau comme tu le dis sur ma peau.

Rien ne tremble à l'intérieur de cette douceur.

Je suis moi et c'est facile d'être aussi nue.

Rien qui blesse.

Je sais que la nostalgie est une strate qui fend.

Une matière sournoise.

Elle n'a rien de consolable.

Je tire des traits, ferme les yeux.

Les jointures marquent la distance des saisons.

Janvier, sur quelle montagne ?

Ce besoin de tenir un livre.

Boire du thé.

Faire durer le jour en une lente insomnie.

Je suis si bien, en appui sur l'air.

Je peux faire apparaître des ombres sur le mur, un balcon fleuri.

Pourquoi pas ?

Je ne m'explique ni l'herbe ni les paumes d'argile de mon frère.

Ni mes mains qui entrent dans la lumière quand je dresse la table.

Tout est si simple en dessous de moi.

Mon ventre si blanc.

Ma jupe doublée de feuilles vertes.

Ma joie, cheval emporte-moi !

Entends battre la terre.
Entends-la résonner dans les choses profondes.

La pluie fendre la soie.

Le bois craque.
Les allumettes brûlent.
La forêt se réchauffe.

Le chêne rouge éclabousse ton manteau.

Ici la rivière, là un tourbillon de nénuphars.

La mémoire a tout emporté.

Seule une nappe sèche encore sur l'herbe.

Dans ses plis dort la statue, en parfait état dans notre monde.

Chaud son front, doux son ventre.

Ses cheveux, des remous entre ses omoplates.

Un relief d'insecte perce sa poitrine.

Mais ce n'est pas encore assez de beauté.

Que feras-tu de ces squelettes debout ?

Fouille ton passé.

Si timide parfois debout en suspens sous la pluie.

Attendant qu'une porte s'ouvre.

Qu'on me dise par ici, venez.

Qu'on me donne des nouvelles de lui.

Osseux et vide.
Blanc et loin.

Sa tristesse taillée dans le bois d'abricot.

Son crâne émergeant d'une rature.

Son nom, quand il est crié, explose comme une bombe dans la bouche.

Nid de douleur enroulé dans la plainte des montagnes.

J'entends cela jusqu'ici.

Je le vois replié sur son assiette.

Je l'ai vu manger comme dans un tunnel avec une cuillère d'enfant.

Avaler les soubresauts.

Creuser des trous dans sa faim.

Comme cela très vite.

Affamé de tout.

Sans table, sans maison, plus personne.

Une boîte légère.

Graffitis d'initiales.

Cave et tabac, l'odeur du gris.
Seule possession.

Parfois encore les tapis et les miroirs.

À son grand-père il rêve.

Se berce debout devant les pommes, les étrangers.

Ne voit plus l'urne.

Les plastiques tendus aux fenêtres.

La chaleur, toutes les chaleurs, il les réclame.

Son père, un veston parmi d'autres vestons.

Disparu en ville dans une vieille auto rongée par le sel.

Sa mère dans l'urne, sur l'étagère.

Les cafards, gros comme des lions, lèchent le sang de la morte.

Licorne tatouée à l'épaule.

Son chandail trop grand.
Une géographie du noir.

Il est sain et sauf.

Sa voix revient.
Sa voix saigne.

Plaies.
Dent cassée.
Fractures.

Le choc dans mon oreille.

Le cœur supporte mal.
Bat plus vite.

Plaques silencieuses à l'intérieur du corps.

Zones obscures, sournoises.

Sursauts sous la peau.

La ville.
Des rues. Sacs à main. Sacs à dos.

À chaque sac une vie.

Ne peut oublier le sang.

Des stigmates sur les murs.
Des liens.

Secte de Merlin et de la Belle au bois dormant.

Nains et cactus au bord des fenêtres.

Contre les pilules du sommeil, des balles dans la tête.

Lui, attendant que tout soit propre autour de la table.

Maison du malheur.

Du silence dans le sang.

Papier noir et fleurs vénéneuses grimpant aux poutres.

Couverture piquante sèche comme une joue.

Enfant gisant.
Un verre de lait entre les plumes.
Dans une cabane derrière.

Chaque objet de la pauvreté plus réel encore.

La moisissure trouée de balles.

Les appels comme des lampes allumées le long des fossés.

Du plâtre s'effritant dans la gorge.

Des éclairs, parfois les ailes.

Tout ce qui tombe loin des vitres fait mal.

Oiseau de nuit, lui.

Le ciel, la lune, il aime.

La lune.

Liquide et limpide comme l'eau de source jetée au visage.

Un lac heureux.

Sa voix derrière le bruit des grilles.

L'écho, les cris, les coups.

Terrible le temps.

L'amener de ce côté-ci du monde.

Vers les choses sensibles.

Un mot qui ressemble à marcher.

Vois tes pas.

Tes jambes traversées d'air.

Que l'or des vagues s'allume et divise ses rayons.

Éclaire le vide.

Coule l'ennui profond.

La fumée sur tes doigts.

Le rouge des peurs véritables.

Soulève le couvercle.

Emplis de larmes la bouche.

De regrets les mains.

Fixe des forces inconnues.

Une montagne patiente rôde autour des souvenirs.

Le grand-père, tout près.

Bagues et pierres précieuses remontent le lac, remontent le Nil.

Eau de jade.

Nous survivons dans l'action de la pensée.

Nous ne dormons pas ou peu ou mal.

Couchés en travers de nos déchirures.

Toujours ce pont à construire.

Ces pierres douces à toucher.

Cette ligne d'énergie à émettre.

Cet appel incessant vers l'invisible ne se confond pas avec le reste.

Cela prend parfois la figure d'une spirale.

D'un cheval qui offre sa crinière à la pluie.

La chaleur des gants.

Tout ce que nous sommes à l'intérieur des formes.

Tout ce que nous devenons quand nous y entrons.

Je t'entends si mal.

Le récepteur collé à mon oreille pourtant.

Une rumeur de fin d'hiver.

Du bois scié, cordé.

Les copeaux volent avec la neige.

La nuit entre plus vite.
Dans les bois, dans notre dos.

Tu regardes une voix, puis une autre.
Se jeter dans la fumée.

Incessante chronique grise qui s'échappe des journaux.

Des cellules, des blousons.

Rien ne ferme les bruits.

Les jambes molles, j'écoute.

Je tombe à côté de moi.

Repousse cette faiblesse le long d'autres bras.

Traces vivantes, silencieuses.
Elles dessinent un ruisseau sur des pierres de rivière.

Je te montre une sortie vers le ciel en haut du mur.

Le vent.

Mes yeux croient aux matières éblouies.

Aux variations du vif.

Toutes ces ombres qui nous soudent les uns aux autres.

Nous ne sommes pas seuls à perdre le souffle.

À rompre l'équilibre.

À enfermer la colère dans les sentiers.

À marcher en tremblant.

Certaines heures arrivent à temps.

La pensée s'ajuste à leur présence, à leur fréquence.

Descendent vers d'autres plis.

Le battement imprimé dans la main.

Un roulement de dés lancés sur la table libère les nombres.

Accueille de nouvelles planètes.

Se détachent des feuilles d'or, des danses colorées.

Le chant ancien des montagnes.

La nécessité de leur présence.

De leur mystère.

De leurs aveux.

Intenses plis de noirceur.

Un vieillard, un enfant, un jeune homme.

Je ne sais plus, tant je m'approche de son front.

De ses mains sortent des lettres qu'il brûle, secoue sous l'eau.

De ce feu, d'aériens parfums emplissent de sable son nom.

Chaque nuit, il donne rendez-vous à la nuit.

Sa voix franchit les barreaux.

Revient au lac.

Flottent les timbres du Japon.

L'envers des arbres.

L'agneau silencieux.

Et nous ouvrons les portes de l'eau.

L'Alaska à côté d'une plante verte.

Nous plaçons nos forces, nos pyramides, nos falaises en des lieux précis.

Une corde d'écoute.

Nous poussons la feuille vers l'infini d'une feuille.

Une à une les lettres soutiennent la Côte-des-Neiges.

Le chagrin ralentit le pas.

Mon cœur dans le jardin des morts.

Vers cette maison abandonnée.

Mon cœur ne doute plus.

Caveau de sa mère.

Cendre et poussière de plâtre.

Herbes le long des gouttières.

Et toujours ces longs cils, ces longs doigts fiévreux.

Ce souffle grave ramenant les choses fragiles.

Cette balançoire au sommet du présent.

J'ai trouvé l'arbre que je cherchais pour y jeter notre histoire.

L'horloge sans la foule.

Matin et soir, dis-tu.

Rien ne vient ensuite.

Matin et soir pour toute réponse.

Le commencement de l'énigme.

Matin et soir.

Là d'où tu reviens.

Plafond de l'eau.

L'espace est un cube qui se déplie, te laisse partir.

Un manteau, des bottes.

Un livre pour tout décor.

Ta lenteur contre le sommeil.

Tes morts auprès de toi.

Ta respiration leur donne forme.

Absence, injures, mouvements de tête viennent.
Se tournent vers toi.

Découpent l'étendue.

Celle qui erre.

Attire la lumière.

Mesure la distance.

Maintient le monde ainsi.
Des espaces, des échelles, des chutes.

Un lieu où je parle.

Où tu comprends ce que je dis.

Se détendent alors tes bras en présence des bêtes.

Des poissons rendus à la rivière.

Tu vois le chemin comme s'il sortait de ton corps.

Tu touches de ton pied l'insouciance.

Tu marches.

Tu te rends à cette exactitude.

Le vertige n'a pas de bord.

Tu vides l'eau de son contenu.

Remplis d'air la barque.

Porte ton cœur en avant.

Dans les joncs.

Ton ombre avance, franchit les obstacles.

Te rejoint à l'intérieur.

En présence d'une figure.

Lignes sombres prêtes à s'engouffrer dans les signes.

Les griffes.

Les fourmis, les araignées.

Les fruits rouillés.

Sans confusion aucune.

Je ne fais que ranger dans l'oubli pour ne rien perdre de l'oubli.

Donner à l'autre la part de tes pas qui lui revient.

Je ne peux t'envoyer une feuille morte trouvée sur le chemin.

Tu sais bien qu'on la gardera.

Mais je t'enverrai une lettre.
Des vêtements chauds.

Nous sommes ici ensemble.

Sans autre détail que le roc noir de tes yeux.

Les fruits qui roulent poussés par la pluie.

Les citrouilles devant les maisons.

Les partitions plus complexes.

Les branches ramassées après l'orage.

Les branches cassées contre le genou.

Le chien perdu.

L'inquiétude me laisse lourde devant le feu.

Ce qui appartient au dedans doit trouver sa forme propre.

Des mains immaculées. Des gestes lents.
Sur une bille, une statue de Bouddha.

Combien de ciels faut-il que je dessine ?
Combien de tombeaux ?

Je parle à ta mère.

Je lui parle de tes bras de fer.

Durs comme ceux de Rimbaud qui reviennent poursuivre
leur mutation.

Je dis que la nuit veille sur tes pas.

Elle sait envelopper les oiseaux.

Thé vent montagne.

Tout ce vert derrière les barreaux.

Les jours partout. Chaises. Sentiers de feuilles.

Pas de trou au pied de la falaise.

Ni pendaison.
Ni trahison.

Pas de cris pour trancher la nuit en éclipses.

Pas de froid qui serre les pieds.

Se confondre avec le silence, n'avoir mal nulle part.

Le rocher plat dans un fouillis d'herbes, encombré par les livres.

Un pantalon usé, confortable.

Une idée comme ça.

Regarde les sauterelles sortir de la rocaille, avaler le jour.

Marionnettes qui, au bout d'un fil, plongent dans l'air.

Grande paix.

Aucune question.

Penser à quelqu'un.

Une étendue.

Un appui terrestre.

Le profil d'un glacier s'élève.

L'ovale turquoise appartient à la fable.

Ces pages qui tremblent au-dessus de l'Alaska ne disent pas tout.

Une ligne tire les glaces.

Scelle le jour et la promesse.

L'aile de métal, le phare clignote.

Le ciel mis en scène.

Le calme se tient si haut que ma voix change.

Un lieu dont l'existence ne m'avait pas encore été dévoilée.

Un lieu sous les feuilles mortes.
Tout ce qui vit encore sensible.

Le monde va ainsi à l'écoute.
Je ne sais où, de qui, et l'heure avance.

Tout n'est qu'assauts du présent.

Levons les algues dans la lumière.

Le soleil dans le lierre t'appartient.

Circonscris le vent et glisse ton corps maigre entre les bambous.

Juste là.

Tout lac n'est pas poissons.

Carpes, soleil.

Corps réclamés avant la nuit.

Mais cerfs.

Eaux froides de l'automne.

Bois et pattes mouillées.

Sel bleu des forêts.

Donne-moi.

Cette heure pure.

Cette force animale.

Au nord de tout.

Qui hante le vent.

Je veux voir.

Le profil de la bête s'avancer.

Sa patte creuser les miroirs.

Ramener les ténèbres et le feu à leur position d'équilibre.

Que la noirceur de ton trait soit soumise à d'autres ruptures.

Tu sais le silence des musées. Les crocs de l'ours.

Ton souffle dans les reflets.
Ton souffle n'était pas cassant.

Il existe des vitrines pour les animaux et les squelettes.

Des tombeaux pour les déesses et les momies.

Des boîtes à souliers pour les oiseaux.

Derrière les vitrines, les os résistent.

Souviens-toi que tu es de la même matière.

Promets-moi.

Toi aussi, squelette debout.

Mais ta robe, ta robe en est une de fiancée, parée de dentelles de verre, de points de neige.

Je te donne aussi ce chapeau de rubans et de sucre.

Va dans le parfum de l'hiver chercher l'or.

Attrape le ciel à présent.

Danse !

Bleu et bleu.

Presque tout.

Le bleu pour le bleu.

On imagine un bleu plus vaste.

Quoi d'autre ?

Est-ce l'heure ?

L'instant ?

Voici l'instant.

Orange et tout orange.

Un fil rouge dans le ciel.

Que verrons-nous surgir de la voûte de la terre ?

D'autres grottes, des débris, des insectes éclatants ?

La nuit, chaque maison est une lanterne dorée.

Le jour, le soleil dépose des lacs dans les nuages.

Dans ta chambre se tient une échelle.

Elle laisse passer les objets.

L'obscurité d'un ciel paisible, la disparition des corps.
Leur fuite.

Fossiles d'ivoire, fémur d'éléphant.
Là, un labyrinthe.

L'arbre et le nuage se séparent.

Racines, tiges, branches.
Tout se courbe, se plie vers une eau qui n'existe pas.

Les fleurs peintes surpassent la vérité.

La lumière de la flamme sur les hanches.

Bains d'or et de thé.

Une lumière tout intérieure.

Tortue, cerf, serpent, ce qui existe.

Aussi vrai que les bois du cerf s'élancent, d'autres existences vibrent.

Il n'y a pas d'autres liens.

Accepte ce mouvement.

La nuit vient vite. Tout est vivant.

Comme elle, je me jette dans l'obscurité.

Oui, les cheveux sont muets.

Mais tu peux entendre à travers les feuilles quelqu'un dire ton nom.

L'espace s'ouvre.

Parfois, les fleurs tombent, les mots aussi.

Seule l'attente est immobile, verticale.

Un baiser profond.

C'est ainsi dans ce monde.

Vent, bleu, sable, la mer se décompose.

L'hiver est assez grand pour contenir le temps et l'espace.

Mon chant se précipite dans l'air froid.

Un nuage blanc flotte dans mes bras.

Plus de soucis.

Rien ne presse.

Mon cou est un lieu chaud et seul.

Pour cette fleur de neige, je reviendrai.

Pour ces cristaux de lumière, cette eau qui prend feu dans le thé.

Attends-moi.

Toute la journée à me promener avec ton cœur.

Midi et contempler la danse des serpents, la queue du lézard.

Même danse des roseaux. Des cornes.

Même point d'équilibre.

Un animal fabuleux me regarde dans les yeux.

J'ai vu.
J'ai vu vivant.

Souviens-toi d'avoir été debout, ton épaule touchant mon épaule, de m'avoir retenue légèrement vers toi.

Pas de larmes. Une scène de beauté et d'harmonie.

Le mot adieu te semble inépuisable comme s'il voulait survivre.

Il met au jour tant d'abandon.

Le silence des ruines d'un immense labyrinthe.

Ni faim ni soif, cette tête qui tourne n'est plus la mienne.

Un vol de cendres et des oiseaux.

Même l'air est voilé.

Comme si tout ce que j'avais perdu prenait une forme immatérielle.

Le miroir de ma perte.

Une force me retient, me possède encore, me garde assise sur cette chaise, me tourne à la fenêtre.

Les lèvres froides demeurent scellées.
Minces et mortes.

Va, quitte, sauve-toi. Observe bien ton lac.

Des pages durcissent dans ta main.
Des pierres touchent tes os, coupent ta voix.

Le cœur un bloc. Un muscle tendu, figé.

Cette façon de respirer à travers ce qui fait mal.

Par où je respire, par où?

Tu penses à la perte.

Avaler dévore ce qu'il reste de toi.

Tu voudrais embrasser, seulement embrasser, remettre
la vie dans ta bouche.

Tes larmes lavent les objets.

Elles ont un corps que tu désires comprendre.
Elles font partie de ton intelligence.

Cette danse à la pointe de son cœur.
Et la pointe de son cœur t'a percé l'oreille.

Rien n'était inconcevable.

On aurait dit un vacillement.

La grâce de l'ange qui penche la tête.

Tu désirais cette lueur sur ton nom.

Tout tranquillement disparaît, te laisse seule avec la première image.

Tes os n'ont pas l'habitude.

On fait comment? On respire comment?

Ce poids des questions véritables.

Il m'a fallu descendre, traverser des vagues de bronze, des nageoires de sel.

Les murs n'étaient pas droits.

La mort entrait partout.

Personne pour me donner la main.

Les vagues s'écroulaient entre les vagues.

Je ne savais rien encore des ténèbres, mais je t'ai reconnue.

Tu étais si transparente.

Je savais que je te retrouverais dans le langage, que tes yeux redeviendraient des métaux brûlants.

La neige, une craie.

Chaque seconde, un couteau plat contre le verre.

J'attends quelque chose.
D'une pierre ou de l'oreille.

D'abord tranquille, puis doucement inquiète.

Ce n'est pas la peur.

Difficile à supporter.

Le corps veut s'échapper, s'évanouir, oublier.

Tout ce qui ne vient pas s'agglutine ici.

Voilà ce que c'est.

Je sens mes pieds toucher presque la fin.
Quelle distance ?

Je dois rester intacte.

Des cellules de tristesse éclatent.

Je me demande ce qui de moi s'éloigne.

Si la noirceur dévore les plumes.

Si ma main est à la bonne hauteur.

Si je suis calme de tous les côtés.

Si je vais pleurer quand je serai seule.

Ces nœuds plats et secs sont à moi.

Peau des larmes, invisible enveloppe.

Chaque nœud porte un nom.

Strasbourg, Stockholm, Hannah.

Le miroir est un nœud.

Les parcs apparaissent, les visages, les tableaux, les vagues.

Je leur appartiens.

Plus de dix ans que mon père est mort.

Je suis assise au bord de cette chaise au sommet de rien.

Je suis souvent heureuse.

Du mimosa, des mangues juteuses.

Je me tiens debout pour les montagnes.

Les rivières dans les artères.

Le nom des pics rocheux.

J'essaie de tout retenir, de tout emporter jusqu'à une maison.

J'ai besoin des morts, d'un manteau, de l'aube.

Quelques sons venus du feu.

Oreille peinte en rouge.

Lumière insolite.

Dieu est absent et la fenêtre trop haute.

À présent je peux le dire, je peux parler, creuser d'autres galeries.

Les théâtres sont des boîtes à bijoux.

Et les bijoux de ma mère, de ma grand-mère, de la parole me font pleurer.

Simple et *sacré* sont les mots que tu cherchais.

Telle la mort, inséparable du corps.

Au-delà des genoux, marcher.

Dans ce trait de cendre, finir.

Je les ai vus tomber des fenêtres.

Franchir le feu.

L'air en dernier, léger.

Feuilles sur les pierres, gouttes de sang loin de tout.

Mur, la neige est sans voix.
Es-tu avec moi ?

Maintenant qu'il fait nuit, je ressemble à la nuit.

Je sais que la lune peut se déplacer lentement, orange.

Devenir barque, puis s'obscurcir.

Il ne me reste plus qu'à dormir, qu'à me laisser inventer.

Nous sommes presque arrivés.

Donner forme au vent. Abolir la distance.

Fermer les yeux, me défaire de mes mains.

Je voulais comparaître devant les ombres dans le bruit agité des branches.

Ce que j'ai été avec toi restera toujours avec toi.

Je fais mes adieux.

Le mur, une stèle près de laquelle mon être se calme.

De moins en moins de bruit.

La vie existe un peu plus courbe.

Je connais si peu de la terre, de son noyau, de ses angles, de ses profondeurs.

Tout cela, si mystérieux.

J'imagine des lambeaux de papier qu'un enfant aurait collés sur une sphère, et coloriés.

La guerre et les glaciers, les insectes qui tuent.

Les fuseaux horaires, les arbres et les visages, les dortoirs, les lits blancs.

Voilà, c'est la terre.

Devant moi, l'amélanchier.

Les cris résonnent loin des bouches.

Le vent m'apporte les noms.

Est-ce tout ?

Quelque chose de vivant près d'un arbre.

Comme si je revenais à moi.

Je m'éveille et je te vois.

Tu es toujours la première personne.

Même au fond de ma boîte de carton, je te vois me regarder.

Je ne sais quoi te dire, je n'ai pas de mots.

Je te regarde infiniment, je te sens là.

Je ne sais pas si je peux aller plus loin dans les rêves étranges.

Encore quelque temps, quelques rotations de la terre et de la lune et ton absence deviendra limpide.

Elle m'apparaîtra dans l'eau calme des bassins.

J'aurai l'impression de contempler une illusion.

Je serai parvenue à m'évader de la trace invisible des larmes.

Avant que le jour ne se lève et emporte le mur.

Mur vide, nu, presque transparent. Tel est le chemin.

J'ai tout mon temps pour être sereine.

Reprendre ma place parmi les feuilles.

Je n'essaie plus d'attraper des choses mortes.

Nous sommes ce livre de mutations devant le monde.

Nos traits se brisent et nos traits se soudent.

Nous traversons les grandes eaux.

Les adieux sont de l'éternité sur terre.

La face sensible des êtres, qui erre et bégaie, refuse de mourir.

La face sensible qui revient de son état d'inconscience.

Un brouillard au fond du recueillement, un vide intime, magnétique.

Cette demeure secrète abrite une demande qui sommeille.

Souviens-toi de mon attachement.

Moi, je continue dans le tournoiement du monde.

Je sens qu'il me veut toute.

AUTRES TITRES PARUS
DANS LA COLLECTION

José Acquelin	*Chien d'azur*
José Acquelin	*Le piéton immobile*
José Acquelin	*Tout va rien*
Anne-Marie Alonzo	*Écoute, Sultane*
Anne-Marie Alonzo	*Le livre des ruptures*
Martine Audet	*Les mélancolies*
Martine Audet	*Les tables*
Salah El Khalfa Beddiari	*Chant d'amour pour l'été*
Salah El Khalfa Beddiari	*La mémoire du soleil*
Marcel Bélanger	*L'espace de la disparition*
Marcel Bélanger	*D'où surgi*
Claudine Bertrand	*Jardin des vertiges*
France Boisvert	*Massawippi*
Denise Boucher	*Paris polaroïd*
Jacques Brault et Robert Melançon	*Au petit matin*
André Brochu	*Dans les chances de l'air*
André Brochu	*Delà*
Nicole Brossard	*Amantes* suivi de *Le sens apparent* et de *Sous la langue*
Nicole Brossard	*Langues obscures*
Paul Chamberland	*Dans la proximité des choses*
Jean Charlebois	*Coeurps*
Jean Charlebois	*De moins en moins l'amour de plus en plus*
Cécile Cloutier	*Ostraka*
Marie-Claire Corbeil	*Tara dépouillée*
Louise Cotnoir	*Des nuits qui créent le déluge*
Isabelle Courteau	*L'inaliénable*
Isabelle Courteau	*Mouvances* suivi de *Pour une chanson de mai*
Isabelle Courteau	*Ton silence*
Gilles Cyr	*Andromède attendra*
Gilles Cyr	*Erica je brise*
Gilles Cyr	*Fruits et frontières*

Gilles Cyr	*Pourquoi ça gondole*
Gilles Cyr	*Songe que je bouge*
Louise Desjardins	*La 2e avenue* précédé de *Petite sensation, La minutie de l'araignée, Le marché de l'amour*
Pierre DesRuisseaux	*Graffites ou le rasoir d'Occam*
Pierre DesRuisseaux	*Journal du dedans*
Pierre DesRuisseaux	*Lisières*
Pierre DesRuisseaux	*Monème*
Pierre DesRuisseaux	*Personne du plus grand nombre*
Pierre DesRuisseaux	*Storyboard*
Thierry Dimanche	*À ceux qui sont dans la tribulation*
Thierry Dimanche	*De l'absinthe au thé vert*
Guy Ducharme	*Chemins vacants*
Guy Ducharme	*Rumeurs et saillies*
François Dumont	*Eau dure*
Fernand Durepos	*Mourir m'arrive*
Violaine Forest	*Le manteau de mohair*
Robbert Fortin	*La lenteur, l'éclair*
Robbert Fortin	*Les dés de chagrin*
Robbert Fortin	*Les nouveaux poètes d'Amérique* suivi de *Canons*
Dominic Gagné	*Ce beau désordre de l'être*
Dominic Gagné	*L'intimité du désastre*
Gérald Gaudet	*Il y a des royaumes*
Gérald Gaudet	*Lignes de nuit*
Guy Gervais	*Verbe silence*
Roland Giguère	*Cœur par cœur*
Roland Giguère	*Illuminures*
Roland Giguère	*Temps et lieux*
Gérald Godin	*Les botterlots*
Gérald Godin	*Poèmes de route*
Yves Gosselin	*Fondement des fleurs et de la nuit*
François Hébert	*Les pommes les plus hautes*
Gilles Hénault	*À l'écoute de l'écoumène*
Suzanne Jacob	*Les écrits de l'eau* suivi de *Les sept fenêtres*

Emmanuel Kraxi	*Cela seul*
Michaël La Chance	*Leçons d'orage*
Patricia Lamontagne	*Rush papier ciseau*
Gilbert Langevin	*Le cercle ouvert* suivi de *Hors les murs, Chemin fragile, L'eau souterraine*
Gilbert Langevin	*Le dernier nom de la terre*
Gilbert Langevin et Jean Hallal	*Les vulnérables*
René Lapierre	*Effacement*
René Lapierre	*Une encre sépia*
Paul-Marie Lapointe	*Espèces fragiles*
Paul-Marie Lapointe	*Le sacre*
Rachel Leclerc	*Rabatteurs d'étoiles*
Luc Lecompte	*Ces étirements du regard*
Luc Lecompte	*Les géographies de l'illusionniste*
Luc Lecompte	*La tenture nuptiale*
Raymond-Marie Léger	*L'autre versant de l'aube*
Wilfrid Lemoine	*Passage à l'aube*
Elias Letelier-Ruz	*Histoire de la nuit*
Elias Letelier-Ruz	*Silence*
Paul Chanel Malenfant	*Le verbe être*
Gaston Miron	*L'homme rapaillé*
Gaston Miron	*Poèmes épars*
Pierre Morency	*Effets personnels* suivi de *Douze jours dans une nuit*
Marcel Olscamp	*Les grands dimanches*
Pierre Ouellet	*Fonds* suivi de *Faix*
Pierre Ouellet	*Sommes*
Fernand Ouellette	*Au delà du passage* suivi de *En lisant l'automne*
Fernand Ouellette	*L'Inoubliable I* et *II*
Louis-Frédéric Pagé	*Ce désert de sel entre les doigts*
Danny Plourde	*Vers quelque (sommes nombreux à être seul)*
Yves Préfontaine	*Être – Aimer – Tuer*
Jacques Rancourt	*Les choses sensibles*
Julie Roy	*Le vol des esprits*
Jean Royer	*Le chemin brûlé*

Jean Royer	*Depuis l'amour*
Pierre-Yves Soucy	*L'écart traversé*
France Théoret	*Étrangeté, l'étreinte*
Serge Patrice Thibodeau	*Dans la cité* suivi de *Pacífica*
Serge Patrice Thibodeau	*Le quatuor de l'errance* suivi de *La traversée du désert*
Martin-Pierre Tremblay	*Où que vous soyez*
Tony Tremblay	*Des receleurs*
Tony Tremblay	*Rock land*
Tony Tremblay	*Rue Pétrole-Océan*
Michel Trépanier	*Mourir dedans la bouche*
Pierre Trottier	*La chevelure de Bérénice*
Suzy Turcotte	*De l'envers du corps*
Tahar Bekri	*Les songes impatients*
Michel van Schendel	*Bitumes*
Michel van Schendel	*Choses nues passage*
Michel van Schendel	*Extrême livre des voyages*
Michel van Schendel	*L'impression du souci ou l'étendue de la parole*
Michel van Schendel	*Mille pas dans le jardin font aussi le tour du monde*
Michel van Schendel	*Quand demeure*
Louise Warren	*Le lièvre de mars*
Louise Warren	*La lumière, l'arbre, le trait*
Louise Warren	*Noyée quelques secondes*
Louise Warren	*La pratique du bleu*
Louise Warren	*Soleil comme un oracle*
Louise Warren	*Suite pour une robe*
Paul Zumthor	*Fin en soi*
Paul Zumthor	*Point de fuite*

Cet ouvrage
composé en New Baskerville corps 11 sur 13
a été achevé d'imprimer
le dix-sept août deux mille six
sur les presses de Transcontinental
pour le compte des
Éditions de l'Hexagone.

Imprimé au Québec (Canada)